A' chiad foillseachadh ann an 2007 le Leabhraichean Walker Eàrr.
87 Vauxhall Walk, Lunnainn, SE11 5HJ
Am foillseachadh seo ann an 2017

2 4 6 8 10 9 7 5 3 1
© an teacsa Bheurla 2007 Polly Dunbar
Tha Polly Dunbar a' dleasadh a còraichean a bhith
air a h-aithneachadh mar ùghdar agus dealbhaiche an leabhair seo
fo Achd nan Còraichean, Dealbhachadh agus Peutantan 1988

Chaidh an leabhar seo fhoillseachadh ann an clò Windsor

A' chiad fhoillseachadh sa Ghàidhlig an 2017 le Acair Earranta
An Tosgan, Rathad Shìophoirt, Steòrnabhagh, Eilean Leòdhais HS1 2SD

info@acairbooks.com   www.acairbooks.com

© an teacsa Ghàidhlig Acair, 2017

An tionndadh Gàidhlig le Dolina NicLeòid
An dealbhachadh sa Ghàidhlig le Mairead Anna NicLeòid

Tha Acair a' faighinn taic bho Bhòrd na Gàidhlig.

Gheibhear clàr catalog CIP airson an leabhair seo ann an Leabharlann Bhreatainn.

Air a' chlò-bhualadh ann an Sìona

LAGE/ISBN 978-0-86152-487-7

Tha an leabhar seo le:

_____

_____

_____

Ceann-fionn

Polly Dunbar

dha Ben

Reub Ben am pàipear bho phreusant.

Dè bha na bhroinn ach ceann-fionn.

"Hallò Ceann-fionn!" arsa Ben.

"A bheil thu ag iarraidh cluich còmhla rium?"
dh'fhaighnich Ben.

Cha tuirt Ceann-fionn càil.

"A bheil còmhradh agad idir?"
dh'fhaighnich Ben.

Cha tuirt **C**eann-fionn càil.

Dhiogail **Ben Ceann-fionn.**

Cha do rinn
Ceann-fionn gàire.

Tharraing **B**en an drèin
a b' fheàrr a bh' aige.

Cha do rinn
Ceann-fionn gàire.

Chuir **B**en air ad aighearach

agus sheinn e òran amaideach

agus dhanns' e
Turraban nan Tunnag.

Cha tuirt
Ceann-fionn càil.

"Am bruidhinn thu rium ma sheasas mi
air mo cheann?" dh'fhaighnich Ben.

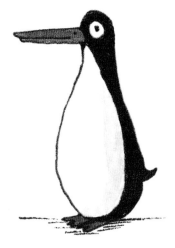

Cha tuirt **C**eann-fionn aon fhacal.

Phut **Ben Ceann-fionn**

agus chuir e a-mach a theanga ri **Ceann-fionn**.

Cha tuirt **Ceann-fionn** càil.

Thòisich **Ben** a' fanaid air **Ceann-fionn**

agus a' magadh air **Ceann-fionn**.

Cha tuirt **Ceann-fionn** càil.

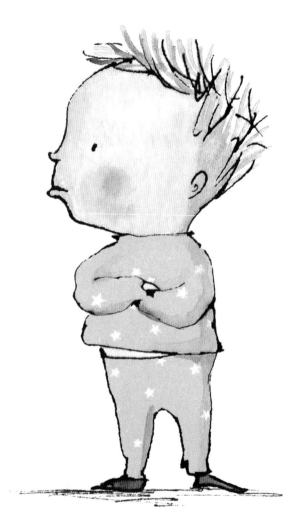

Cha do leig Ben air gun robh Ceann-fionn ann.

Cha do leig Ceann-fionn air gun robh Ben ann.

Cheangail Ben Ceann-fionn ri rocaid a chaidh suas dha na speuran...

...thill Ceann-fionn air ais gu Talamh gun aon fhacal a ràdh.

Dh'fheuch **B**en ri
Ceann-fionn a thoirt
do Leòmhann airson
ithe.

Cha tuirt
Ceann-fionn càil.

Cha robh **L**eòmhann ag iarraidh
Ceann-fionn ithe.

Chaidh **B**en troimh-a-chèile.

Cha tuirt **C**eann-fionn càil.

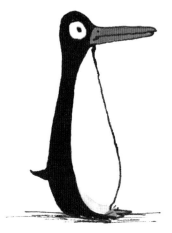

Dh'ith Leòmhann Ben

a chionn 's gun robh e

a' dèanamh cus fuaim.

Bhìd Ceann-fionn sròin Leòmhainn cho cruaidh 's a b' urrainn dha.

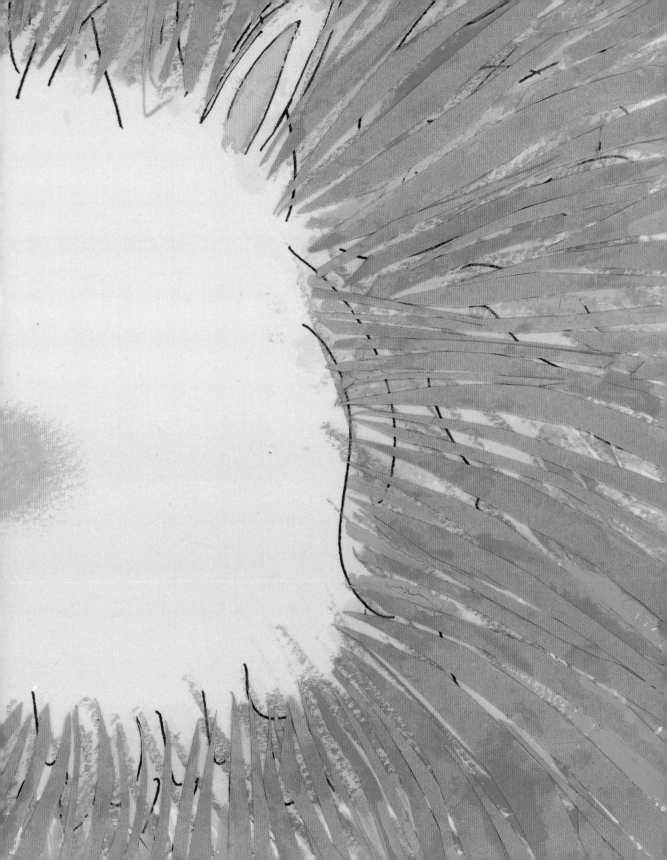

Aobh! thuirt Leòmhann.

Ò, bhalaich ort! thuirt Ben.

Agus thuirt Ceann-fionn ...

a h-uile càil a-riamh!